La princesse dans un sac

La princesse dans un sac

Robert Munsch

Illustrations de Michael Martchenko

Texte français de Christiane Duchesne

Éditions
SCHOLASTIC

Catalogage avant publication de Bibliothèque et Archives Canada

Munsch, Robert N., 1945-

[Paper bag princess. Français]
La princesse dans un sac / Robert Munsch;
illustrations de Michael Martchenko;
texte français de Christiane Duchesne.

Traduction de : The paper bag princess.
Pour enfants de 4 à 8 ans.
ISBN 978-0-545-99118-6

I. Martchenko, Michael II. Duchesne, Christiane, 1949- III. Titre.

PS8576.U575P3614 2008   jC813'.54   C2007-907451-0

Édition publiée par les Éditions Scholastic,
604, rue King Ouest, Toronto (Ontario) M5V 1E1,
avec la permission d'Annick Press Ltd.

5 4 3   Imprimé à Singapour 46   13 14 15

À Élisabeth

Élisabeth était une magnifique princesse.
Elle vivait dans un château et elle portait des
robes de princesse qui coûtaient très, très cher.

Elle allait épouser un prince qui s'appelait
Alphonse.

Mais un jour, malheur! Un dragon passe et détruit son château, brûle tous ses vêtements de son souffle puissant et enlève le prince Alphonse.

Élisabeth part aussitôt à la poursuite du dragon pour ramener Alphonse.

Elle cherche désespérément de quoi se vêtir, mais tout a brûlé. La seule chose épargnée par le feu, c'est un sac de papier.

Alors, elle enfile le sac et suit les traces du dragon.

Très facile à suivre, ce dragon! Il a laissé derrière lui un sillage d'arbres calcinés et d'ossements de chevaux.

Élisabeth arrive enfin devant la porte d'une caverne.

Sur la porte, un énorme heurtoir.

Elle frappe.

Le dragon sort le museau.

— C'est une princesse que voilà! dit-il. J'aimerais bien manger une princesse, mais j'ai déjà avalé un château entier! Je suis un dragon très occupé. Revenez demain.

Il referme vivement la porte, au risque d'y coincer le nez d'Élisabeth.

Élisabeth empoigne le heurtoir et frappe à la porte encore une fois.

Le dragon montre le museau.

— Allez-vous-en! dit-il. J'adore croquer les princesses mais j'ai déjà avalé un château entier. Je suis un dragon très occupé. Revenez demain.

— Un instant! crie Élisabeth. Est-il vrai que, de tous les dragons du monde, vous êtes le plus intelligent et le plus féroce?

— Oui, répond le dragon.

— Est-ce vrai que vous pouvez brûler dix forêts d'un seul coup de votre souffle brûlant?

— Bien sûr, dit le dragon.

Il prend une gigantesque inspiration et souffle tant de feu qu'il brûle cinquante forêts d'un coup.

— Merveilleux! dit Élisabeth.

Le dragon prend une autre inspiration tout aussi gigantesque et souffle tant de feu qu'il brûle cent forêts d'un coup.

— Extraordinaire, dit Élisabeth.

Le dragon inspire encore majestueusement, mais il ne sort même pas assez de feu de sa gueule pour faire cuire une petite côtelette.

— Dragon, dit Élisabeth, est-ce vrai que vous pouvez faire le tour du monde en dix secondes exactement?

— Eh bien, oui! répond le dragon.

Il bondit dans les airs et fait le tour du monde en dix secondes exactement. Il en revient très fatigué.

— Fabuleux! Faites-le encore une fois! crie Élisabeth.

Le dragon bondit de nouveau dans les airs et fait le tour du monde en vingt secondes.

Il en revient extrêmement fatigué. Il ne peut même plus parler et s'en va aussitôt se coucher.

— Dragon? murmure doucement Élisabeth.

Le dragon ne bouge pas d'un poil.

Elle soulève l'oreille du dragon et glisse sa tête à l'intérieur.

— Dragon? crie-t-elle aussi fort qu'elle le peut.

Le dragon est tellement épuisé qu'il ne remue même pas le bout de la queue.

Élisabeth enjambe le dragon et ouvre la porte de la caverne. Le prince Alphonse est devant elle.

— Élisabeth, dit-il en la dévisageant, tu es affreuse! Tu sens le feu, tu as les cheveux comme une vieille crinière et tu as un sac de papier sur le dos! Tu reviendras quand tu auras l'air d'une princesse!

— Alphonse, fait Élisabeth, tu as de bien beaux vêtements, et des cheveux bien coiffés. Tu as l'air d'un vrai prince, mais tu n'es qu'un bon à rien.

Et ils ne se sont jamais mariés.